D0608402

FOLIO CADET

Traduit de l'américain
par Pascale Jusforgues

Maquette : Karine Benoit

ISBN : 2-07-053722-6
Titre original : *Amber Brown goes fourth*
Édition originale publiée par G.P. Putnam's Sons,
a division of The Putnam's & Grosset Group, New York
© Paula Danziger, 1995, pour le texte
© Tony Ross, 1995, pour les illustrations
© Éditions Gallimard Jeunesse, 1998, pour la traduction française
N° d'édition : 12487
Loi n° 49-956 du 16 juillet 1949 sur les publications destinées à la jeunesse
Premier dépôt légal : septembre 1998
Dépôt légal : septembre 2002
Photogravure : Fossard
Imprimé en Italie par Editoriale Lloyd

Paula Danziger

La rentrée de Lili Graffiti

illustré par Tony Ross

GALLIMARD JEUNESSE

*Pour Earl et Shirley Binin
qui m'ont appris à célébrer la créativité
et l'individualité*

Le vendeur arrive avec son bidule pour mesurer les pieds.

– C'est bien toi qui veux toujours essayer la chaussure droite en premier ?

– Oui, je fais en hochant la tête. Vous vous souvenez de moi ?

– Ah ça ! je ne risque pas de t'avoir oubliée ! répond le vendeur en mettant mon pied droit dans l'appareil. La dernière fois, je n'ai pas fait comme tu voulais et tu as piqué une colère terrible ! Pas moyen de trouver une paire de chaussures à ton goût… Et pour finir, tu m'as accusé d'avoir gâché ta journée… Tu m'as même menacé d'aller me dénoncer à l'Association de Défense des Enfants-qui-enfilent-toujours-la-chaussure-droite-avant-la-gauche !

Je tends mon pied sans rien dire. Il est vraiment bizarre, ce bonhomme. Je ne suis sûrement pas la seule personne au monde à vouloir faire les choses d'une certaine façon. Avec la vie que je mène, j'ai besoin de repères. Tout le monde a ses petites manies. Ma manie à moi, c'est d'enfiler la chaussure droite en premier. C'est comme ça. Si je fais l'inverse, je me sens mal. Du coup, toute ma journée est fichue.

Un bébé de deux ans s'approche de moi et m'attrape le pied. Le gauche.

– Pied ! dit-il.

Sa mère le tire par le bras.

– Excusez-le mais il est tout fier d'apprendre des mots nouveaux et il en est aux parties du corps.

Encore heureux qu'il n'ait pas décidé de me mettre le doigt dans l'œil ! Autour de nous, il y a des enfants partout. Ça pleure, ça crie, ça souffle dans des ballons. Ça essaie des chaussures : « J'aime pas celles-là ! Je veux les autres ! » Une petite fille se roule par terre parce que sa mère refuse de lui acheter des sandales pour la rentrée.

— En plus, je me rappelle que tu as un drôle de nom, reprend le vendeur. Attends un peu…

Je soupire.

Mine de rien, maman regarde sa montre.

— … Lola Caramba ? Non… Mimi Gribouillis ?

— LILI GRAFFITI ! je rectifie. Je ne vois pas ce qu'il a de drôle !

— C'est bon, n'en parlons plus… Tu ne venais pas avec quelqu'un d'autre d'habitude ? Une dame et ses deux fils, dont un à peu près de ton âge ?

— Ils ont déménagé, explique calmement ma mère.

Tout à coup, je me sens triste. Pour la pre-mière fois de ma vie, je vais faire la rentrée des classes sans Justin, mon meilleur ami.

J'avais presque oublié. Pendant toutes les vacances, j'ai essayé de ne pas y penser. Mais ça a été dur, surtout depuis que je suis revenue d'Angleterre avec tante Pam.

Maman pose sa main sur la mienne.

– Est-ce qu'on peut voir les baskets à paillettes, s'il vous plaît ? demande-t-elle.

Le vendeur retire son appareil et vérifie la taille de mon pied sur la petite échelle.

– On voit qu'elle grandit, cette petite.

Encore une pointure de plus ! Mais rassu-rez-vous, madame, ce n'est pas grave : il aurait pu lui pousser un troisième pied… et vous auriez été obligée d'acheter deux paires de chaussures au lieu d'une !

Il rit de sa bonne blague et ajoute :

– Comme vous voyez, on a de l'humour, dans la chaussure !

Et il part au fond du magasin en chanton-nant : « Quand la chaussure va, tout va ! Quand la chaussure va, tout va ! »

Je regarde ma mère. Elle me sourit en haussant les épaules.

– Je sais qu'il te rend folle, mais ici les chaussures sont de bonne qualité et moins chères qu'ailleurs. Et puis, mets-toi à sa place : si tu devais chausser des enfants à longueur de journée, je ne sais pas dans quel état tu serais !

– J'aurais sans doute le moral au fond de mes chaussettes !

– Et tu risquerais de finir six pieds sous terre !

Nous éclatons de rire en même temps.

Quand le vendeur revient, il nous trouve toutes les deux en train de chanter :

– Quand la chaussure va, tout va ! Quand la chaussure va, tout va !

Du coup, il se joint à nous et nous reprenons le refrain en chœur.

Ensuite, j'essaie les baskets à paillettes.

Elles sont hyper !

Maman a l'air contente.

– Des chaussures neuves, des vêtements neufs : te voilà parée pour la rentrée. En avant pour le CM 1, ma petite Lili !

« En avant ! » c'est vite dit… pensai-je en moi-même, car ça me rappelle quand nous jouions aux chevaliers avec Julien. Avant de partir à l'assaut d'un dragon, on criait toujours : « EN AVANT, VAILLANTS CHE-VALIERS ! »

Pour partir à l'assaut du CM 1, il va falloir que je m'encourage par un : « EN AVANT, VAILLANTE LILI ! »

Mais sans Justin, ça va être dur.

Assise sur mon lit, je regarde l'*Album Papa*. Il est plein de photos de mon père, seul ou avec moi, ou encore de nous trois : papa, maman et moi. Il y en a même quelques-unes où ils sont juste tous les deux, du temps où ils n'avaient pas encore décidé de se séparer.

Comme ma mère n'aime pas voir des photos de mon père un peu partout dans la maison, je les ai collées dans l'*Album Papa*.

Si un jour je rends visite à mon papa en

France, je ferai un *Album Maman* pour l'emporter avec moi, car ça m'étonnerait qu'il ait accroché des photos d'elle dans son appartement.

Mais des photos de moi, il en a chez lui. Il me l'a dit quand il est venu me voir en Angleterre, et que je n'avais pas pu repartir avec lui parce que j'avais la varicelle. Parfois, il m'arrive de parler à mon album comme si papa était vraiment là. Comme aujourd'hui, par exemple.

« J'ai un peu peur de la rentrée, tu sais. C'est la première fois que tu ne seras pas là le premier jour d'école… et Justin non plus. »

Je regarde la photo de papa, celle qui a été prise au parc de la Grande Aventure. Il sourit… et il a de la barbe à papa sur le nez !

Puisqu'il ne peut pas me répondre, je continue : « En fait, j'ai bien plus que peur… j'ai une frousse terrible ! Le CM 1, il paraît que ce n'est pas facile… d'autant

que je n'aurai plus M. Cohen comme maître. Si ça se trouve, on m'a déjà tellement farci la tête depuis la 1re année de maternelle, la 2e, la 3e, puis le CP, le CE 1 et le CE 2 qu'il ne me reste plus assez de place pour apprendre autre chose. Et si j'hérite d'un bureau bancal ? Ou d'un bureau qui a été tout gribouillé par un petit crétin l'année dernière et qui salit mes manches, tu te rends compte ? »

J'ai l'impression d'entendre mon père rire pendant que je lui raconte tout ça.

Du coup, je me mets à sourire… un petit peu, mais je continue : « Et si personne ne veut être ami avec moi ? Le problème, c'est que je manque d'entraînement, papa ! Je n'ai jamais eu à me chercher des amis depuis la maternelle. Et même là, ça s'est fait tout seul… »

J'embrasse la photo. J'ai l'impression de sentir le goût de la barbe à papa sur son nez.

« Et je ne t'ai pas encore annoncé la dernière nouvelle : maman sort avec un bonhomme, un certain Max. Ça a commencé quand j'étais en Angleterre. Je crois qu'elle a un petit faible pour lui. Et d'après ce que j'ai cru comprendre, c'est réciproque. »

Je regarde mon père droit dans les yeux. Il est toujours en train de sourire. Pas moi !

« Lorsque je suis revenue, maman a voulu me présenter Max mais je n'avais pas du tout envie de faire sa connaissance. »

Quand j'y pense, ça ne me plaît pas du tout qu'elle ait un amoureux, sauf, bien sûr, si c'est mon papa. Dès qu'elle m'en a parlé, ça m'a rendue malade ! Je me suis même mise à pleurer ! Et ce n'était pas des larmes de crocodile. J'avais vraiment de la peine. Finalement, maman m'a dit qu'elle ne m'obligerait pas à voir Max ; en tout cas, pas avant que ça devienne vraiment sérieux entre eux.

Je recommence à parler à la photo.

« Ça peut devenir *vraiment* sérieux, papa. Un bon conseil : si tu as l'intention de revenir vivre avec nous, dépêche-toi. Je suis de plus en plus inquiète. Max ne vit pas ici. Il habite dans une autre ville. Mais que se passera-t-il s'il veut épouser maman ? Vous ne pourrez plus être mariés tous les deux ! Et s'ils décident d'aller vivre dans sa ville à lui… Ça voudra dire que je changerai d'école ! »

Mon père reste muet.

Peut-être vaudrait-il mieux que je lui téléphone au lieu de m'adresser bêtement à sa photo.

L'ennui, c'est que je ne crois pas que j'oserai lui dire tout ça pour de vrai… ni à ma mère… ni à personne.

– Comment me trouves-tu ? me demande justement maman en entrant dans ma chambre.

Vite, je referme l'*Album Papa*, je le pose à l'envers à côté de moi, et je la regarde.

Elle a mis une jupe bleu marine, un chemisier rouge framboise et plein de bijoux.

Elle est très jolie, comme ça… mais je ne suis pas sûre d'avoir envie de le lui dire.

Je hume l'air, alentour.

– Tu t'es mis trop de parfum.

Et je me frotte le nez en faisant la grimace. En fait, elle sent drôlement bon, mais je n'ai pas envie de le lui dire non plus.

Elle ajuste sa ceinture sur son chemisier, jette un coup d'œil dans le miroir et s'inté-resse enfin à moi.

– Quand est-ce qu'il vient te chercher, Machin ?

Maman me regarde d'un œil sévère.

– Il s'appelle Max et il va arriver d'une minute à l'autre.

– Et... à quelle heure tu vas rentrer ? lui dis-je en mordillant le bout de ma couette.

– Je n'en sais rien, ma puce. Mais ne t'inquiète pas, Rosalyne m'a dit qu'elle resterait toute la nuit s'il le faut. Et, de toute façon, quand tu te réveilleras demain matin, je serai revenue depuis longtemps !

Je continue à mâchouiller mes cheveux.

– Peut-être que je ne vais pas pouvoir m'endormir avant ton retour.

– Je risque de rentrer très tard, tu sais.

– Tant pis, je t'attendrai.

Elle essaie de changer de sujet.

– S'il te plaît, chérie, arrête de manger tes cheveux. Tu te souviens de Choubidou, le chat de tante Pam ? Il avale tellement de poils qu'il en recrache des paquets un peu partout. Si tu continues, tu vas faire pareil !

Elle me montre la moquette en riant.

– Tu imagines des petites boulettes de cheveux de Lili éparpillées dans tous les coins ?

Même si je trouve ça drôle, je me retiens de rire.

– Je ne m'endormirai pas tant que tu ne seras pas de retour, maman, alors ne rentre pas trop tard.

Elle est à deux doigts de me faire la morale, mais finalement elle me dit simplement :

– D'accord, ma puce.

Elle est sans doute persuadée que je dormirai à poings fermés quand elle rentrera, mais elle se trompe.

Je suis sûre et certaine que je n'arriverai pas à m'endormir.

Je n'ai pas l'intention de me lever, ce matin.

Ni demain. Ni les autres jours.

Et ce sera comme ça tous les jours de l'année. De l'année scolaire, évidemment.

Hier déjà, ça a été dur de me lever pour entendre maman me raconter sa super soirée avec Max.

Elle l'aime bien, c'est clair.

Elle prétend que je l'aimerai bien, moi aussi.

Moi, je suis sûre du contraire.

D'ailleurs, je n'ai aucune envie de le connaître.

Je n'ai pas envie de l'aimer.

Je suis certaine que je n'y arriverai jamais.

Et je n'ai pas envie non plus de me lever ce matin pour aller à l'école.

Mon réveil me couine aux oreilles. C'est un petit cochon qui fait tirelire en même temps.

Un petit cochon dans une baignoire pleine de mousse. C'est tante Pam qui me l'a offert.

Quand je mets de l'argent dedans, il fait « oink-oink-oink » pour me remercier.

Et pour me réveiller, il fait aussi « oink-oink-oink ». J'appuie sur le bouton pour le faire taire et je mets ma tête sous l'oreiller.

Trois minutes plus tard, c'est mon réveil-maman qui entre en scène.

Et celui-là, pas question de l'éteindre en appuyant sur un bouton.

Maman entre dans ma chambre, soulève l'oreiller et m'ébouriffe les cheveux en racontant des choses différentes suivant les jours.

Après sa soirée avec Max, elle m'a réveillée en disant :

– Je t'avais bien dit que tu finirais par t'endormir, hier soir !

Aujourd'hui, mon réveil-maman soulève l'oreiller en chantonnant :

– Debout, ma chérie… C'est le jour de la rentrée !

J'ouvre les yeux juste assez pour la voir par une toute petite fente et je dis :

– Le CM 1, c'est pas une classe impor-tante… Réveille-moi à la même heure l'année prochaine et j'entrerai directement en CM 2.

Ma mère me chatouille.

– File vite sous la douche ! Tu as une demi-heure pour t'habiller, préparer tes affaires et prendre un bon petit déjeuner avant que je t'accompagne en voiture à l'école.

– Je peux y aller à pied. Ça fait au moins deux ans que tu ne m'emmènes plus en voiture !

Je repense à Justin. On faisait toujours le trajet ensemble… et à pied. Après la sortie, j'allais chez lui en attendant que ma mère rentre de son travail.

Mais maintenant tout a changé. J'insiste :

– Écoute, maman, je suis capable d'y aller à pied, je t'assure !

Maman soupire.

– Nous avons déjà eu cette discussion. Je ne veux pas que tu ailles à l'école toute seule, alors je vais te déposer en voiture et je reviendrai te chercher tout à l'heure après l'étude.

Je remets ma tête sous l'oreiller.

L'étude, c'est fait spécialement pour les enfants qui ne peuvent pas rentrer chez eux juste après les cours.

Tout ça, c'est la faute du père de Justin. S'il n'avait pas accepté ce boulot stupide à deux mille kilomètres d'ici, on aurait pu continuer à vivre tranquillement, comme avant.

Je me demande si la mère de Justin est en train de le réveiller en ce moment. Je me demande aussi si Justin pense à ce qui l'attend… et s'il s'ennuie de moi.

– Allez, lève-toi, ma chérie !

Maman enlève l'oreiller de ma tête et prend sa grosse voix pour ajouter :

– Lève-toi vite si tu tiens à rester ma petite fille chérie.

Elle commence à me chatouiller les pieds. Et moi, Lili Graffiti, je n'aime pas qu'on me chatouille les pieds. J'ai même horreur de ça.

En sortant du lit, je bute sur mon nouveau cahier de classe. Je le ramasse et le pose à côté de ma trousse que j'ai décorée avec des tas d'autocollants. J'y ai mis mon nouveau stylo, un crayon noir tout neuf, mes nouveaux crayons de couleur et ma nouvelle gomme.

En prenant ma douche, je pense à plein de choses… Quelle tête aura mon nouveau maître – ou ma nouvelle maîtresse ? Je me mettrai à quel bureau ? Qui sera assis à côté de moi ? Est-ce qu'Hannah Burton sera encore méchante avec moi ? Est-ce que les garçons sont toujours aussi bêtes ? Est-ce qu'il y aura des nouveaux qui auront envie de se faire des amis ?

Je sors de la douche, je me sèche, je me brosse les dents et les cheveux (mais pas avec la même brosse).

Et puis je m'habille. Je mets un caleçon noir et un grand T-shirt, celui que tante Pam m'a offert cet été. Dessus, il y a le plan du métro de Londres. Je ne l'ai encore jamais mis, je le gardais exprès pour la rentrée.

Ensuite, j'enfile mes baskets à paillettes. La droite d'abord, puis la gauche.

Je me demande si Justin est en train d'enfiler ses baskets, lui aussi. Est-ce qu'il aura pensé à attacher ses lacets, maintenant que je ne suis plus là pour le lui dire ? Sinon, tel que je le connais, il va encore se casser la figure. A moins qu'il ait trouvé quelqu'un d'autre pour s'occuper de lui.

Je mets ma trousse et mes affaires dans mon nouveau sac à dos rose fluo. Sans oublier le Schtroumpf porte-bonheur que tante Pam m'a rapporté d'Allemagne il y a deux ans.

Tout à coup, j'entends la sonnerie du téléphone.

Mais, au bout de trois coups, la sonnerie s'arrête.

Ma mère m'appelle du bas de l'escalier.

– Lili ! C'est pour toi. Ton père… dépêche-toi !

Je me précipite.

Mon père m'appelle de Paris.

Je prends l'appareil, tout essoufflée.

– Papa !

J'entends un petit déclic. C'est maman qui vient de raccrocher au rez-de-chaussée.

– Lili ! Comment ça va, ma chérie ?

Je sais qu'il est très loin mais j'entends si bien sa voix qu'il a l'air tout près.

– Je voulais juste te souhaiter une bonne

rentrée, ma Lili. J'aimerais tellement être avec toi aujourd'hui !

– Avec moi ou avec nous ?

J'espère toujours qu'il reviendra vivre avec nous, maman et moi, bien qu'il se tue à me répéter que ce n'est pas possible.

Mon père pousse un gros soupir.

– Lili, ma petite puce, pas ici, pas dans cette maison… J'ai besoin de vivre seul.

Pendant quelques instants, nous gardons tous les deux le silence puis, finalement, je lui dis :

– Tu me manques, papa, tu sais.

– Tu me manques aussi. J'aimerais bien voir comment tu es habillée, et être là pour t'entendre raconter ta première journée. Mais je te rappellerai tout à l'heure, vers 6 heures, pour savoir comment ça s'est passé, d'accord ?

Je fais rapidement le calcul dans ma tête. 6 heures ici… ça doit faire minuit en France. Chez lui.

Avant de raccrocher, on fait un concours de bisous. C'est à celui qui fera le plus de

smacks ! Jusqu'à ce que l'un de nous en ait les lèvres fatiguées. Comme d'habitude, c'est moi qui gagne.

Ensuite, on raccroche. Je suis drôlement contente que papa ait pensé à m'appeler… et drôlement triste qu'il habite si loin.

En descendant l'escalier, je repense encore à la journée qui m'attend. Je voudrais déjà être à demain pour en avoir fini avec ce premier jour d'école et pour pouvoir me dire que, finalement, tout s'est bien passé.

Si seulement je pouvais avoir un maître super… qui me trouve super moi aussi.

Si seulement je pouvais ne plus être aussi angoissée.

Si seulement…

Moi, Lili Graffiti, je trouve qu'on devrait rebaptiser la cour de récréation. On pourrait l'appeler la cour de discussion, par exemple. Du moins pour les grands. Autrement dit : les CM 1 et les CM 2.

Pendant que tout le monde bavarde, je regarde autour de moi. Jusque-là, pas de nouvelles têtes. Pour l'instant, tous ceux qui étaient copains l'an dernier se retrouvent entre eux cette année.

Apparemment, personne ne cherche à se faire de nouveaux amis... sauf moi...

– Et toi, Lili, qu'est-ce que tu as fait pendant les vacances ? me demande Alicia Sanchez.

– Je suis allée en Angleterre.

– Frimeuse !

Hannah Burton me fait la grimace, en répétant :

– Espèce de frimeuse ! Tu veux épater tout le monde, hein ?

Ce n'est pas vrai. Alicia m'a demandé ce que j'avais fait, je lui ai dit la vérité, c'est tout. Et la vérité, c'est que je suis allée en Angleterre.

– Et toi ? Qu'est-ce que tu as fait ? demande Naomi Schwartz à Hannah.

– Mes parents ont loué une maison au bord de la mer, en Californie. C'est pour ça que je suis toute bronzée.

Hannah se prend pour un top modèle.

Je fais semblant de bâiller.

– Au fait, où est Brandi ? reprend Alicia. Elle ne devait pas venir te voir pendant que tu étais là-bas ?

— Si, mais c'était au début des vacances. Après, je ne sais pas où elle est allée. De toute façon, je m'en fiche.

Alicia insiste :

— Pourtant c'était ta meilleure amie. Tu devrais être au courant, non ?

Hannah hausse les épaules sans rien dire.

Maintenant que tout est fini avec Brandi, je suppose qu'elle est libre, elle aussi.

Seulement voilà : Hannah est tellement chipie que je ne voudrais pas être sa meilleure amie pour tout l'or du monde ! En fait, ce qu'il lui faudrait, c'est une meilleure ennemie.

– C'est vrai que tu as eu la varicelle pendant que tu étais à Londres ? me demande Tiffany.

– Oui, le deuxième jour. Tu te rends compte ?

– Moi, j'ai attrapé la varicelle au CP, dit Hannah.

– Frimeuse ! je réponds en lui faisant la grimace.

Hannah lève le nez en prenant un petit air pincé.

– Ce que tu peux être bête, ma pauvre fille ! Un vrai bébé. De retour d'Angleterre : la reine des imbéciles !

– Fais attention, Hannah, ne penche pas trop ta tête en arrière : s'il se met à pleuvoir dans tes narines, tu vas te noyer. Note que, personnellement, ça m'est bien égal…

Gregory Gifford s'approche de nous en faisant semblant de parler dans un micro.

– Bonjour, amis sportifs ! Voici la reprise du match Burton-Graffiti ! Qui l'emportera ? Allons-nous assister à la rencontre du siècle ? Quoi qu'il en soit, ce nouvel affrontement marque le début de l'année sportive… euh, pardon, de l'année scolaire !

– Ce n'est pas moi qui ai commencé, dis-je en regardant Hannah d'un œil noir. Elle porte un T-shirt avec l'inscription : MES PARENTS SONT ALLÉS EN CALIFORNIE ET TOUT CE QUE J'Y AI GAGNÉ, C'EST CE T-SHIRT IDIOT.

Personnellement, si je pouvais changer le texte, j'écrirais plutôt : MES PARENTS SE SONT MARIÉS ET TOUT CE QU'ILS Y ONT GAGNÉ, C'EST UNE IDIOTE COMME MOI.

Jimmy Russell et Bobby Clifford arrivent vers nous en courant. Ils commencent par faire des tas de bruits dégoûtants, et Jimmy annonce qu'ils organisent un grand concours de rots et que tout le monde pourra s'inscrire après la cantine.

– Compte sur moi ! je lui dis.

– J'ai hâte de voir ça ! dit Naomi en éclatant de rire.

Bobby rote et ajoute :

– Tu peux toujours rigoler. Si tu savais le premier prix !

– Qu'est-ce que c'est ? Je crains le pire… dit Naomi en faisant la moue.

– Ta-ta-ta-taaam ! claironne Jimmy en levant les bras comme s'il brandissait une coupe. Le grand gagnant recevra la fantastique sirène musicale que j'ai donnée à ma sœur pour son anniversaire !

– Elle la trouvait horrible, glisse Bobby.

– Je l'avais achetée en solde, pas cher du tout, précise Jimmy. Et comme elle me l'a refilée à Noël, je peux en faire ce que je veux. Je l'apporterai à l'école demain, vous verrez, ça fera un super trophée !

Il recommence à faire plein de bruits dégoûtants et les autres garçons aussi.

Et voilà. C'est reparti pour un an !

Il y a des choses qui ne changeront jamais.

L'année dernière, les garçons passaient leur temps à pousser des cris de singes. Cette année, ils ont décidé de faire des bruits dégoûtants.

L'année dernière, Frederick Allen mangeait ses crottes de nez. Cette année, il continue. Je le sais parce que j'ai entendu un copain lui dire :

– Alors, la pêche est bonne ?

Malgré tout, il y a quelques changements. Tiffany Schroeder, par exemple. Elle a décidé d'écrire son nom Tiffani et elle porte un soutien-gorge depuis cet été. Apparemment, elle en a besoin. Jimmy et Bobby ont voulu le lui dégrafer en rentrant en classe, mais M. Cohen leur a dit d'arrêter. M. Cohen, c'est mon ancien maître.

Un autre changement auquel je ne peux pas m'empêcher de penser, c'est que Justin n'est pas là. C'est la première fois en six ans, depuis la maternelle.

Je parie qu'il aurait gagné le concours de rots, Justin. Il était capable de réciter tout l'alphabet en rotant, non seulement à l'endroit mais aussi à l'envers.

Gregory Gifford joue de nouveau les reporters :

— Pour le moment, mesdames et messieurs, c'est Freddie Romano qui est en tête avec quarante-deux rots d'affilée !

— Merci, merci ! déclare Freddie en s'inclinant comme s'il saluait une foule de trois cent mille personnes. Je tiens aussi à remercier les deux canettes de Coca qui m'ont aidé à accomplir cette performance !

La cloche sonne. C'est l'heure !

Je me demande quelle tête va avoir notre nouveau maître.

Je me demande ce que je vais faire sans Justin.

Je me demande où j'ai bien pu mettre mon sac à dos.

— Bravo, Lili ! Tu es la première élève de l'année à venir aux objets trouvés.

Mme Peters, la secrétaire de l'école, me sourit en me tendant mon sac à dos rose fluo.

— Tu es sûre que tu n'as rien perdu d'autre ? me demande-t-elle.

J'ai envie de lui répondre : « Si, mon meilleur ami… On ne vous l'aurait pas rapporté, par hasard ? »

Mais je reste là sans rien dire.

– Dépêche-toi, Lili, tu vas être en retard, me signale Mme Peters.

Je regarde la pendule.

C'est le premier jour et je suis déjà en retard…

J'attrape mon sac et je file en vitesse en criant merci à la dame.

Me voyant courir dans le couloir, M. Robinson, le directeur, m'arrête net. Puis il me fait faire la moitié du chemin en arrière et m'ordonne de marcher normalement, tout en me disputant parce que je suis en retard.

Je passe rapidement devant la salle des CE 2 où M. Cohen est en train de faire connaissance avec ses nouveaux élèves. Les veinards !

J'arrive devant la porte de ma classe et j'entre.

— Tu es en retard, me dit Hannah Burton en jetant un coup d'œil à sa montre.

— On ne t'a pas sonnée, Big Ben, je rétorque en l'appelant par le nom de l'immense horloge de Londres. Je trouve que c'est un bon surnom pour Hannah.

Je regarde autour de moi.

Tout le monde s'est assis exactement à la même place que l'an dernier. Je vais donc m'asseoir à l'endroit où se trouvait mon ancien bureau. A côté de moi, la place est vide.

— Bonjour, Lili. Installe-toi vite, dit la maîtresse en me souriant. Je suis Mme Holt. Tiffani m'a dit que tu avais perdu ton cartable. Je vois que tu l'as retrouvé, tant mieux.

Je la regarde avec un sourire timide.

Mme Holt est nouvelle dans l'école. Je ne sais pas où est passée l'ancienne maîtresse des CM 1.

Quoi qu'il en soit, Mme Holt n'est pas seulement nouvelle, elle est aussi très jolie : brune, avec des yeux noisette et des cils noirs d'une longueur incroyable. Elle porte une longue jupe violette et un chemisier rose. J'espère qu'elle sera aussi intéressante que M. Cohen… et aussi gentille que lui.

Elle nous distribue des fiches à remplir.

NOM :

ADRESSE :

NOM DES PARENTS OU DU RESPONSABLE LÉGAL :

AS-TU QUELQUE CHOSE À ME DIRE SUR TOI ?

QU'AIMERAIS-TU APPRENDRE CETTE ANNÉE ?

QU'EST-CE QUI POURRAIT T'ARRIVER DE MIEUX CETTE ANNÉE ?

Les deux premières questions sont faciles.

Mon nom et mon adresse, je les connais par cœur.

Pour le nom de mes parents, j'ai envie d'écrire : PAPA ET MAMAN, mais finalement il ne vaut mieux pas.

Mme Holt a déjà dû se rendre compte que je suis un peu tête en l'air, je ne tiens pas à passer en plus pour la rigolote de service. Du coup, j'inscris mes parents sous leur vrai nom : Sarah et Phil.

Pour la question suivante, c'est plus compliqué. Qu'est-ce que je pourrais bien raconter sur moi ?

Après avoir griffonné sur un bout de papier pendant deux ou trois minutes, je me lance :

Je ne sais pas quoi dire… J'aurais pré-féré un questionnaire avec des cases « vrai » ou « faux »… ou bien des réponses toutes prêtes à cocher.

Les deux autres questions m'inspirent plus.

Cette année, j'aimerais apprendre plus de choses sur les gens, parce qu'il y a des jours où je ne les comprends pas du tout.
J'aimerais aussi avoir la recette pour se faire des amis.

Qu'est-ce qui pourrait m'arriver de mieux cette année ? Eh bien, c'est simple : que mes parents se remettent ensemble, que Justin et sa famille reviennent vivre ici, que je me trouve un autre meilleur ami, au cas où Justin serait encore obligé de partir.

Je relis le dernier paragraphe. Je ne vou-drais pas que Mme Holt croie que je ne pense qu'à ma petite personne, alors j'ajoute :

… J'aimerais aussi qu'il y ait la paix dans le monde, qu'il n'y ait plus de pollution et plus de gens qui meurent de faim.

J'ai encore oublié quelque chose :

Cette année, j'aimerais bien que toutes les récoltes de choux de Bruxelles soient ravagées par la maladie !

Ça y est, j'ai fini. Je pose ma fiche sur le bord du bureau et j'attends avec impatience la suite des événements.

2 672 divisé par 12.

Comment Mme Holt ose-t-elle me faire ça, à moi ?

Tout à coup, on frappe à la porte.

« Toc, toc, toc. »

– Qui est là ? lance Jimmy Russell.

– Le petit chat ! répond Bobby Clifford.

– Quel petit chat ?

– Le petit chat de Panama !

Mme Holt se tourne vers les garçons en les regardant d'un air mi-figue mi-raisin.

– Je vous rappelle que vous êtes en CM 1 et non au cirque, messieurs.

Puis elle va ouvrir la porte. Ce n'est pas un petit chat. C'est Mme Clarke, la sous-directrice. Et elle n'est pas seule.

– Bonjour, les enfants ! Je vous amène une retardataire. Vous vous souvenez de Brandi ?

Tous les yeux se tournent vers Brandi Colwin. « Coucou, Brandi ! », « Salut, Brandi ! », « Bienvenue chez nous ! », « Super, ta nouvelle coiffure ! ».

Moi, je lui fais un petit signe en souriant.

J'aime bien sa tête. J'aime bien aussi comment elle est habillée : avec un caleçon violet, un grand T-shirt et des baskets à lacets dorés. Elle a fait quelque chose à ses cheveux mais, de là où je suis, je n'arrive pas à voir quoi.

Mme Holt lui souhaite la bienvenue et, tout à coup, on entend une sonnerie bizarre. Mme Clarke fouille dans son sac et en sort un téléphone portable. Elle répond, ne dit rien pendant quelques secondes, puis :

– Il a fait QUOI ?

Tout le monde la regarde. Elle finit par dire :

– Excusez-moi, je dois y aller, et elle sort en courant.

Brandi reste là, sans bouger. Elle a vraiment l'air sympa.

– Eh bien, entre, Brandi ! dit la maîtresse. On va te trouver une place…

Il faut agir vite, alors j'agis :

– Il n'y a personne à côté de moi !

– Elle n'a pas levé le doigt, madame ! crie Hannah en me jetant un regard meurtrier.

– Toi non plus, Hannah, lui fait remarquer la maîtresse.

Hannah se renfrogne, moi je rayonne.

– Brandi, va t'asseoir là-bas, dit Mme Holt en désignant la place libre à côté de moi. Et toi, Lili, n'oublie pas de lever la main avant de parler, la prochaine fois.

Du coup, je lève la main.

– Qu'y a-t-il, Lili ?

– Merci, madame.

Brandi s'installe à côté de moi, tandis qu'Hannah se retourne pour nous faire une grimace.

– Lili, explique à ta voisine ce qu'il faut faire, reprend la maîtresse. Pendant ce temps, je vais aller chercher ses livres.

Je montre l'exercice de maths à Brandi.

– Ça fait 222,66, me souffle-t-elle après un rapide coup d'œil.

– Merci du tuyau.

Mme Holt revient avec une pile de livres. Pendant qu'elle parle, j'en profite pour regarder les cheveux de Brandi.

Elle s'est fait plein de nattes avec des fils de toutes les couleurs et de jolies perles en verre à chaque bout. Dès qu'elle remue la tête, ça fait « gling-gling ». C'est rigolo.

La maîtresse retourne à son bureau, écrit les devoirs du jour sur le tableau et nous dit qu'on peut commencer à les faire dès maintenant. Avant de m'y mettre, j'écris un petit mot à ma voisine.

Je suis contente de te revoir… J'adore ta nouvelle coiffure !

Je fais ma signature de star (je me suis entraînée des heures avant de la trouver. C'est au cas où je deviendrais célèbre, plus tard).

Brandi lit mon bout de papier, écrit quelque chose dessus et me le repasse.

Merci. Moi j'adore ton T-shirt et tes baskets.

Elle s'est trouvé une signature spéciale, elle aussi.

J'ai comme l'impression qu'on va devenir amies, toutes les deux.

Je lui tends ma réponse.

C'est super que tu sois ma voisine. Tu sais, Justin m'aidait toujours à faire mes exercices de maths… et moi je l'aidais en orthographe. Si tu veux, on pourra faire pareil…

Brandi lit le début de mon mot en souriant. Puis elle fronce les sourcils et écrit la suite du feuilleton.

Je suis bonne en orthographe… et je ne suis pas Justin !

Je la regarde. Elle regarde ailleurs.

– Brandi… je lui chuchote.

– Je ne suis pas Justin, c'est compris ?

– Brandi et Lili ! Taisez-vous, dit la maî- tresse. Je ne voudrais pas être obligée de vous séparer dès le premier jour.

Décidément, le CM 1 s'annonce mal.

Au bout du quatrième jour d'école, j'en ai déjà assez. Je ne veux plus y aller. J'ai envie de rester chez moi, c'est tout.

Jusqu'à maintenant, j'ai attrapé tout un tas de maladies : les oreillons, la rougeole, la varicelle, la grippe asiatique, des angines, la migraine et un urticaire géant. Et chaque fois, ma mère m'a forcée à aller à l'école. Elle n'est pas du genre à s'attendrir, si vous voyez ce que je veux dire…

Seulement voilà : je n'ai vraiment pas envie d'aller à l'école.

Pourtant, ça ne va pas si mal. Les choses pourraient être cent fois pires. Mme Holt est une bonne maîtresse… et pourtant ce n'est pas M. Cohen. Ma classe est plutôt sympa dans l'ensemble (sauf Hannah Burton), mais c'était pareil l'an dernier. J'aime bien ma voisine, mais elle, elle n'a pas l'air de m'aimer beaucoup.

Le gros problème, c'est que je m'ennuie de Justin. Moi, Lili Graffiti, je trouve que tout le monde devrait avoir son meilleur ami.

A l'heure de la récréation, je marche toute seule en suivant le « parcours Justin ». En passant près du portique, je me rappelle comment on se poussait à tour de rôle sur la balançoire, quand on était au CP. Et on chantait à tue-tête : « Baaateau… sur l'eau ! Baaateau… sur l'eau ! »

En longeant les barrières du terrain de sport, je repense aux concours de cochon pendu qu'on faisait souvent, Justin et moi. Celui qui restait le plus longtemps la tête en bas avait gagné.

En arrivant près des lavabos, je nous revois en train de jouer à la baleine. On ouvrait le robinet, on gardait de l'eau dans notre bouche et puis on la recrachait en essayant de faire de petits jets d'eau. Généralement, on finissait trempés comme des soupes.

Près de la dalle de ciment où on dessinait des marelles, je me souviens de la fois où je suis tombée et lorsque Justin m'a aidée à enlever les gravillons de mes genoux pleins de sang.

Finalement, je m'assieds au pied de l'arbre et je regarde les élèves passer. Ils vont tous deux par deux, ou trois par trois.

Cet arbre a quelque chose de spécial, puisque c'est là que j'ai confié à Justin que mes parents allaient divorcer et que ça me rendait malade de chagrin. Justin ne m'a pas dit grand-chose pour m'aider… mais rien que de pouvoir en parler à quelqu'un, ça fait du bien.

Cette année, je n'ai personne à qui parler de ces choses-là… personne avec qui je puisse m'amuser autant qu'avant.

Justin me manque drôlement.

Je vois passer Brandi. J'ai envie de lui dire de venir s'asseoir à côté de moi mais je n'ose pas.

Elle croise mon regard. Elle semble sur le point de parler, mais finalement elle ne dit rien.

La cloche sonne. La récré est finie, et le « parcours Justin » aussi.

J'espère que les choses vont bientôt s'arranger.

■ CHAPITRE 8 ■■■

Moi, Lili Graffiti, je voudrais qu'on recommence tout à zéro. Cette première semaine d'école s'est tellement mal passée qu'il faudrait revenir à la case « Départ », comme dans certains jeux.

Si je pouvais faire claquer mes doigts en disant : « On recommence à zéro », je changerais bien une ou deux choses.

Par exemple, j'éviterais de parler de Justin à Brandi… et surtout de faire des comparaisons entre eux.

J'éviterais aussi de me faire du mouron si je vois que Brandi ne veut pas être mon amie. J'essaierais de me dire qu'après tout, les autres sont plutôt sympas et je n'en mourrai pas si je n'ai plus de meilleur ami.

Autre erreur que je ne referais pas : me présenter à l'étude dès le premier jour. Étant donné que mon nom n'était pas sur la liste, j'aurais très bien pu me cacher dans les toilettes en attendant l'heure de la sortie. Alors que maintenant, je suis inscrite pour de bon et, du coup, je suis obligée de rester enfermée avec une flopée d'enfants qui vont de la maternelle jusqu'au CM 2.

Je trouve qu'on devrait rebaptiser l'étude et l'appeler : Prison-pour-enfants-qui-attendent-qu'un-adulte-vienne-les-chercher.

J'essaierais aussi de ne plus penser à tout ce qui m'embête : mes parents qui divorcent, Justin qui est si loin et Max si près.

Mais même si je faisais claquer mes doigts en criant : « On recommence tout à zéro », ça ne marcherait pas.

Premièrement, je ne sais pas faire claquer mes doigts. J'ai beau m'exercer, au lieu de faire : « Clac ! » ça fait : « Ffft ! »

Deuxièmement, j'ai appris un truc : ce n'est pas parce qu'on souhaite quelque chose, même de toutes ses forces, qu'on l'obtient à coup sûr.

Tout cela est assez démoralisant.

– Lili ! A table ! crie ma mère en bas de l'escalier.

– J'arrive dans une minute ! je réponds.

Je file me laver les mains, en réfléchissant à tous ces trucs qui me rendent folle, puis, tout en descendant les marches, je m'en-traîne encore à faire claquer mes doigts.

Ffft ! Ffft ! Ffft !

Ma mère me pousse dans la salle à man-ger. D'habitude on dîne dans la cuisine, mais ce soir maman dit qu'il faut changer un peu… s'installer confortablement et prendre le temps de discuter.

En général, ma mère est très occupée. Comme elle quitte son bureau plus tôt pour venir me chercher à l'école, elle rapporte souvent du travail à la maison.

Je regarde la table. Je croyais qu'on n'était que toutes les deux, mais il y a trois couverts.

Maman a peut-être invité Max à dîner ?

Pourtant, elle m'avait dit qu'elle atten-drait encore un peu avant de l'amener à la maison.

Mieux vaut tirer les choses au clair tout de suite, sinon je sens que je vais m'énerver.

— Dis m'man, qui est-ce qui vient, ce soir ?

– Personne. Nous dînons en tête à tête, ma puce ! me crie maman du fond de la cuisine.

Encore une fois, je regarde la table.

Trois assiettes, trois couteaux, trois fourchettes, trois verres…

Je ne suis pas folle, quand même ! Est-ce que ma mère est tombée amoureuse de l'homme invisible ? Max-le-fantôme aurait-il trouvé le moyen de venir à la maison sans se faire remarquer ? A moins que ma mère soit en train de perdre la boule… comme les vieilles personnes.

Ou alors, c'est moi qui ai des problèmes de vision et je vois triple. C'est peut-être l'angoisse qui fait ça. Je vois tout multiplié par 3, ou par 2+1.

Maman entre et pose un grand plat de spaghettis sur la table.

– C'est incroyable ! dit-elle en enlevant le troisième couvert. INCROYABLE !

Elle parle comme si je n'étais pas là.

– Sans m'en rendre compte, j'ai mis la table pour trois… Phil, toi et moi… comme avant.

– Ça veut sûrement dire que tu aimerais bien que papa revienne à la maison, lui dis-je en la tirant par la manche.

– Non, répond-elle en secouant la tête. Ça veut simplement dire que je suis fatiguée et que je fais n'importe quoi ! Tu sais, Lili, j'ai mis le couvert pour trois pendant des années, sans réfléchir. Alors ce soir, j'ai fait de même, machinalement. La force de l'habitude, quoi…

Puis elle s'assied en silence.

Je m'assieds à mon tour.

– C'est comme moi, quand je décroche le téléphone pour appeler Justin à son ancien numéro ou quand je m'apprête à tourner dans la rue où il habitait.

Maman me regarde avec un petit sourire.

– Ça arrive à tout le monde, Lili. Nous avons tous notre histoire… mais on a tendance à oublier que certaines choses ne font plus partie du présent, du moins pas de la même façon.

Moi, je me trouve trop jeune pour avoir une histoire, surtout avec tous les ennuis qui me sont tombés dessus depuis quelque temps. Je me souviens de l'époque où tout était simple et où l'on était heureux. J'espère que ce n'est pas de l'histoire ancienne et que ce temps-là reviendra. Je regarde maman. Elle a l'air triste et fatiguée.

– Dis, m'man, si on faisait un concours de *slurp* ?

Elle éclate de rire.

– Lili ! Je suis une grande personne, je n'ai plus l'âge de faire des concours de *slurp* avec les spaghettis !

Je fais une drôle de grimace pour la faire rire encore.

– S'il te plaît, m'man ! Pour une fois…
allez ! S'il te plaît !

Elle secoue la tête en riant, et finalement
elle accepte.

On mesure nos spaghettis et on les aspire
à toute vitesse.

C'est moi qui gagne.

– On fait ça en trois parties, d'accord ?

Maman a de la sauce tomate plein le
menton.

On aspire, on aspire.

Cette fois-ci, c'est elle qui gagne.

Troisième manche… Lili Graffiti, championne de *slurp-spaghettis* !

Je regarde mon adversaire. Tout sourire et toute barbouillée de sauce tomate.

– Dis m'man, tu m'apprends à faire claquer mes doigts ?

Et je lui fais une démonstration de « Ffft, Ffft, Ffft ».

– Ce n'est pas comme ça. Regarde !

Elle me montre comment mettre mes doigts et, à la fin de la leçon, je commence à pouvoir faire : « Flip ! Flip ! ». Quels progrès !

Quand j'y arriverai parfaitement, je ferai claquer mes doigts en criant : « On recommence tout à zéro ! » Et si ça ne marche pas, je dirai : « Allez, on continue ! »

Parce qu'au fond je suis sûre que tout finira par s'arranger.

Flip ! Flip ! Flip !

L'étude… chaque soir c'est la même chose. Mais aujourd'hui, c'est différent parce qu'il y aura Brandi.

Je l'ai entendue dire à la maîtresse que sa mère avait trouvé du travail, ce qui signifie qu'à partir de maintenant elle restera à l'étude elle aussi.

En la voyant entrer dans la salle, je lui souris, d'un sourire sympa mais sans plus. L'air de dire : « Tu sais, je n'en ferai pas une maladie si tu ne veux pas qu'on soit amies… » (même si j'en crève d'envie).

Pas question de lui faire un grand sourire mielleux du genre : « S'il te plaît, s'il te plaît, Brandi, sois sympa avec moi ! »

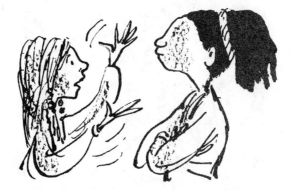

Elle regarde autour d'elle. A part moi, il n'y a aucun autre élève de CM 1.

Du coup, Brandi vient s'asseoir à côté de moi.

Au fond de la salle, il y a un raffut terrible.

Trois garçons de CM 2 se prennent pour des champions de karaté. Ils lancent leurs jambes en l'air et ils agitent les bras dans tous les sens en criant : « Ya-ka ! » Pas le « y a qu'à faire ci » ou « y a qu'à faire ça », le vrai « Ya-ka » du karatéka.

La maîtresse qui surveille l'étude leur dit de s'asseoir, ainsi qu'à tous les autres.

– Et maintenant, croisez les bras et posez la tête sur votre bureau. Le premier que je vois bouger, je l'envoie chez le directeur !

J'essaie de me retenir mais c'est plus fort que moi, je me mets à rire.

– Qu'est-ce qui t'amuse à ce point, mademoiselle Graffiti ? Tes camarades aimeraient sûrement partager ta joie, me lance Mlle Pickers d'un ton sarcastique.

C'est simplement que quand elle nous a dit de poser la tête sur notre bureau, j'ai failli lui répondre : « Impossible, mademoiselle, elle est trop bien accrochée à mon cou ! »

La maîtresse d'étude attend ma réponse.

Mes parents prétendent que, dans la vie, il faut garder la tête sur les épaules. Si je la pose quelque part, ça va être dur !

Je me remets à rire de plus belle. Et, une fois partie, je ne peux plus m'arrêter.

– Tu feras une heure de retenue, me dit

Mlle Pickers. Pose tout de suite la tête sur le bureau et ne bouge plus, compris ?

J'obéis.

Quand on reste à l'étude tous les jours, une heure de colle en plus, ce n'est pas la mer à boire, comme dit ma grand-mère.

La tête au creux de mes bras, j'imagine ce que je ferais si Justin était là : je remonterais mon pull et je ferais semblant de ne plus avoir de tête du tout.

Je risque un coup d'œil vers Brandi, qui me regarde en se mordant la lèvre pour s'empêcher de rire.

Alors je remonte le col de mon pull et je me transforme en femme-sans-tête.

Brandi éclate de rire. Une véritable explosion !

Du coup, le fou rire me reprend aussi.

Ce qui nous vaut une heure de colle supplémentaire à toutes les deux.

Plus j'essaie de me retenir, plus j'ai envie de rire. Brandi aussi.

Mlle Pickers commence à perdre patience. Troisième heure de colle pour moi, une autre pour Brandi. A la fin de l'étude, on en est à cinq contre quatre.

Pas mal, pour un début !

– Burp !

– Burp !

– Burp !

– Burp !

Silence.

– Quarante… vas-y, continue !

Jimmy et Bobby encouragent Frederick.

– Tiens bon ! Encore trois et le record sera battu !

– J'en peux plus, dit Frederick en se frappant la poitrine, je suis vidé, je n'ai plus de poumons !

– Au suivant ! crie Jimmy en brandissant

sa sirène. Qui remportera ce magnifique trophée ?

Je regarde le magnifique trophée : une poupée blonde en plastique bleu, avec une queue de poisson et un diamant dans le nombril.

Jimmy appuie sur le diamant et ça déclenche une drôle de musique.

Cette sirène est abominable. En plus, elle chante faux.

Il me la faut absolument. Je lève la main.

– Lili Graffiti ! braille Jimmy. A ton tour !

Je m'avance et…

– Burp !

– Burp !

– Burp !

Naomi et Alicia m'encouragent à grands cris.

Vingt-neuf rots à la suite… Je m'améliore. Hier, je me suis arrêtée à vingt-six.

– Comme c'est élégant, pour une fille, me lance Hannah Burton.

– Merci, lui dis-je en souriant de toutes mes dents.

– Pauvre bébé !

Je lui fais la révérence.

– Sac à vent, va !

Je lui rote à la figure. Rien qu'une fois, mais une belle.

Hannah s'en va, l'air dégoûté.

– Quinzième manche pour Lili Graffiti ! déclare Gregory qui note tous les scores.

Le grand concours de rots est fini pour aujourd'hui. Encore une semaine avant de savoir qui gagnera la sirène.

Brandi est à quelques pas de moi. Je lui

fais un grand sourire. Elle s'approche, lève les sourcils, me sourit et dit :

— Bravo, Lili ! Si ça se trouve, tu vas devenir la Reine du Rot !

— Merci, Brandi. Mais tu sais, ça risque d'être dur. Je n'ai pas le droit de m'entraîner à l'étude, pas le droit de m'entraîner pendant les heures de colle et pas le droit de m'entraîner à la maison. Ma mère dit que c'est dégoûtant et elle devient folle quand je fais burp ! au lieu de dire bonjour comme tout le monde. Seulement voilà : si je veux gagner le trophée, j'ai intérêt à m'exercer sérieusement.

— Moi, je ne sais pas roter sur commande, soupire Brandi. Quand j'y arrive, c'est par accident. Dommage… j'aurais bien voulu participer au concours. J'ai drôlement envie de cette sirène, moi aussi.

Je ne dis rien pendant un instant, puis :

— Écoute, si je gagne, on se la partagera. Une semaine chez toi, une semaine chez moi, d'accord ?

Brandi me regarde.

– C'est sympa de ta part.

Je lui souris. Elle, elle reste sans rien dire, comme si elle hésitait à prendre une grande décision.

– Tu n'as qu'à venir t'exercer à la maison, me dit-elle finalement. Je serai ton entraîneur et… je pourrai aussi te faire des nattes, si tu veux.

– C'est vrai ? Génial !

– Si nos mères sont d'accord, tu n'as qu'à venir dès demain.

J'ai hâte d'y être.

Cher Justin,

Merci pour ta lettre.

J'aimerais bien que tu sois là (mais tu ne serais sûrement pas content d'être ici en ce moment parce que je suis en retenue à cause d'une histoire stupide… J'ai comme qui dirait perdu la tête à l'étude, l'autre jour).

Au fait, j'ai ajouté les vieux chewing-gums que tu m'as envoyés à notre super-balle. Tu as bien fait de les mettre dans un papier humide enveloppé de plastique (mais ça a un peu coulé quand même).

De mon côté, je garde tous mes chewing-gums et je les rajoute au fur et à mesure. Mais j'aimerais mieux que tu puisses venir les coller toi-même.

J'aimerais aussi que tu écrives un peu mieux. Je n'arrive pas à lire un mot sur deux !

A propos de ta nouvelle cantine, je voudrais que tu m'expliques un ou deux trucs :

Es-tu sûr de déjeuner à la cafète-à-rat ? Eh ben dis donc !

Est-ce qu'on vous donne vraiment de la salade de bêtes rares... ou de la salade de betterave ? (Tu me diras, les deux sont dégoûtants.)

Tu es sûr qu'il y a des grognettes de boulet tous les lundis ? Ce ne serait pas plutôt des croquettes de poulet ?

Un bon conseil, Justin : s'il y a un atelier de calligraphie dans ton école, tu ferais bien de t'y inscrire !

Encore une question : maintenant que tu habites dans le Sud, est-ce que tu parles avec un drôle d'accent ? Et moi, est-ce que tu trouveras que je parle bizarrement quand on se reverra ?

C'est trop bête que tu ne sois pas là. Jimmy et Bobby ont organisé un concours de rots. Si tu voyais la tête du trophée ! ! ! ! !

Encore deux ou trois nouvelles :

1. Ma mère sort avec un type qui s'appelle Max. Ne le répète à personne, mais moi je l'appelle Min… comme minimum. Je ne l'ai encore jamais vu et je ne suis pas pressée.

2. J'aimerais bien que mon père revienne.

3. J'aimerais bien que tu reviennes aussi.

4. J'apprends à faire claquer mes doigts.

5. Tu sais quoi ? Je suis devenue amie avec Brandi Colwin. Elle est super sympa… Je suis sûre que tu t'entendrais bien avec elle.

Bon, j'espère que tu t'es trouvé un ou une nouvel(le) ami(e) toi aussi (mais t'as pas intérêt à l'aimer plus que moi !)

ton amie,

Lili Graffiti

P.-S. Ne force pas trop sur les grognettes de boulet, c'est pas facile à digérer…

— Brandi, voilà ta mère qui vient vous chercher, Lili et toi, annonce gentiment Mlle Pickers.

C'est fou comme certaines maîtresses prennent une voix toute douce dès que les parents sont dans les parages !

Heureusement, Mme Holt n'est pas comme ça. Elle parle gentiment aux parents… mais aussi aux enfants.

Tout en ramassant mes affaires, je chuchote à Brandi :

— J'espère que ta mère a de bons yeux.

— Pourquoi ? murmure-t-elle.

– Parce qu'elle vient nous *chercher*, tiens !

On éclate de rire… mais cette fois-ci, on n'attrape pas d'heure de colle supplémentaire. Sans doute à cause de Mme Colwin qui attend sur le pas de la porte… à moins que Mlle Pickers soit mieux lunée que l'autre jour.

En tout cas, moi, je suis de très bonne humeur ! D'abord parce que je vais chez Brandi. Ensuite parce que Brandi va me faire des nattes comme les siennes.

Lili Graffiti va bientôt changer de tête !

— Tu veux que je te montre un truc super ?
me dit Brandi en entrant dans sa chambre.

Je lui fais signe que oui.

Elle va ouvrir le dernier tiroir de sa com-
mode et en sort un rouleau de chewing-gum
de deux mètres de long.

— Tu ne vas pas te fâcher si je te parle
encore de Justin ? je demande, un peu
inquiète.

— Non. Du moment que tu ne me com-
pares pas à lui ou que tu ne fais pas celle qui
m'a choisie faute de mieux.

– Ça c'est pas vrai, je te jure !

– Bon. Alors vas-y.

– Eh bien c'est drôle, parce que Justin et moi, on s'achetait souvent des rouleaux de chewing-gum et on les partageait toujours en deux… Un mètre pour lui, un mètre pour moi. Et parfois on se mettait tout le morceau dans la bouche et on le mâchait pendant des heures. A la fin, quand il n'avait plus de goût, on l'ajoutait à notre superballe en chewing-gum. On l'avait commencée au CP, tu te rends compte ? D'ailleurs, je l'ai toujours… Je pourrai te la montrer, si tu veux.

– D'ac ! fait Brandi avec un grand sourire. Et vous avez déjà essayé de faire des bulles de chewing-gum avec le nez ?

Je fais non de la tête.

Alors Brandi prend un gros bout de chewing-gum, elle se le met dans la bouche et, quand il commence à être bien mou, elle le sort et le colle au bout de son nez. Puis elle souffle de toutes ses forces.

Je n'ai jamais vu une bulle pareille… Énorme !

Je suis drôlement épatée.

J'aimerais bien essayer mais je suis enrhumée. Ce serait un peu dégoûtant, quand même.

– Si on passait aux nattes ? dit Brandi en sortant une boîte en carton.

Je m'assieds sur sa chaise.

– Tiens, tu peux regarder comment je m'y prends, dit-elle en me tendant un miroir. Mais surtout ne bouge pas d'un poil !

Brandi commence par me poser un carton sur la tête, puis elle prend une petite mèche de cheveux qu'elle fait passer par une fente.

Bien entendu, je ne tiens pas en place.

– Arrête de gigoter, Lili, tu vas tout faire rater !

Du coup, je me tiens droite comme un I.

Dans la boîte, il y a des rubans de toutes les couleurs.

– Choisis-en sept, me dit ma coiffeuse.

Je prends mes couleurs préférées : violet, rose, rouge, orange, vert, turquoise et jaune.

Dans le miroir, je suis tous les gestes de Brandi. Elle sépare la mèche en trois, puis fait une natte toute fine en tressant le ruban rose et le ruban violet en même temps.

Aïe ! Ça tire !

– Reste tranquille ! Il faut que je serre bien, sinon ça ne tiendra pas.

– Où est-ce que tu as appris à faire ça ?

– Cet été, quand je suis allée en Californie. Ma cousine Daniela m'a montré cette technique. Je me suis d'abord entraînée sur ses vieilles Barbie… et sur le chien.

Ça y est, la première natte est terminée.

– Génial ! dis-je en me regardant dans la glace.

Brandi déplace le carton et isole une autre mèche.

– Dis, Brandi… (ça fait longtemps que je

veux lui poser cette question) comment se fait-il que vous ne soyez plus amies, Hannah et toi ?

Tout à coup elle s'arrête de me coiffer.

– Tu n'es pas obligée de me répondre, tu sais, je précise (bien que je meure d'envie de le savoir).

Brandi se remet au travail, sans rien dire.

Du coup, je me tais aussi.

Finalement, elle se décide.

– Je veux bien t'expliquer… si tu me promets de ne rien dire à personne, d'accord ?

– Promis-juré-craché !

Tout en continuant à me tresser les cheveux, Brandi me raconte toute l'histoire.

— Quand je suis arrivée ici l'année dernière, ça a vraiment été dur. Je ne connais-
sais personne, chacun avait ses amis et tout
le monde était déjà pris.

— Pourtant, quand il y avait des fêtes ou
des anniversaires, on t'invitait toujours, je
lui fais remarquer.

— Oui, mais ce n'est pas comme un ami de
tous les jours, quelqu'un à qui on peut dire
des secrets, qu'on peut passer voir comme

ça, pour se balader ou faire des trucs…
Comme Justin et toi, par exemple. Quand je
vous voyais tous les deux, ça me rendait
triste, parfois. Là où j'habitais avant, j'avais
une amie… Elle s'appelait Sandy. On s'en-
tendait drôlement bien, toutes les deux.
Exactement comme toi et Justin… sauf
quand vous vous êtes disputés, juste avant
son déménagement.

– Je m'en souviens… c'était horrible !

– Oui. Et le pire, c'est que j'étais contente
de vous voir fâchés…

Sans s'en rendre compte, Brandi me tire
les cheveux mais je souffre en silence.

– Je me suis dit que j'avais peut-être une
chance qu'on devienne amies, toi et moi.
Mais vous vous êtes réconciliés… Quand
Justin est parti, je me suis dit : « Chouette !
la place est libre. » Mais ensuite tu es allée
en Angleterre et j'étais déjà partie quand tu
es revenue.

– Pourquoi tu ne m'as jamais rien dit de
tout ça ?

– Ce n'était pas facile, tu sais.

Je comprends ce qu'elle ressent.

– Finalement, la seule qui était libre, c'était Hannah.

J'ai envie de lui répondre : « Pas étonnant, avec le sale caractère qu'elle a ! » Mais je préfère me taire.

Brandi enfile des perles sur la deuxième natte.

– Alors on est devenues amies, poursuit-elle. Mais ce n'était pas très rigolo… Avec Hannah, c'est toujours la même chose : c'est elle qui commande, c'est elle qui décide, elle sait tout mieux que les autres ! Sans compter que, parfois, elle peut être vraiment méchante.

– Ça, j'en sais quelque chose !

Brandi s'assied sur le lit en me regardant.

– Mais tu comprends… c'était tellement dur de me retrouver toute seule que j'ai tenté ma chance avec elle. Cet été, quand elle m'a invitée à passer une semaine au bord de la mer, ça a été l'enfer ! Elle n'a pas arrêté de

me lancer des vacheries. J'ai fini par télé-
phoner à mes parents pour qu'ils viennent
me chercher plus tôt que prévu. Après ça, je
suis allée chez ma cousine Daniela. Elle a
quinze ans et elle est très sympa. On a parlé
de tas de trucs et ça m'a fait du bien. Et puis
l'école a repris et je me suis dit qu'on allait
peut-être devenir amies… mais j'ai bien vu
que tu aurais préféré un autre Justin comme
voisin alors que moi, Brandi Colwin…

Elle baisse les yeux tristement.

— Écoute, Brandi, je t'ai toujours trouvée
gentille, je t'assure ! Je ne pouvais pas savoir
que tu étais malheureuse à ce point-là !

— Oh si, alors ! soupire-t-elle doucement.

Pauvre Brandi !

— Maintenant que le problème est réglé,
j'aimerais vraiment qu'on devienne amies,
tu sais.

— Moi aussi, répond-elle en se relevant, et
elle attaque la troisième natte.

— Et pas seulement parce que Justin n'est
plus là, je précise.

Elle me chatouille le bout du nez avec mes cheveux.

– Et moi, pas seulement parce que je n'ai plus Sandy, me précise-t-elle à son tour.

C'est drôle comme c'est différent avec elle. Les petites nattes, ce n'est pas quelque chose qui aurait passionné Justin, à mon avis.

Et Brandi lit beaucoup, elle. Et puis elle n'hésite pas à me parler d'elle, de ce qu'elle ressent. Alors que Justin n'aimait pas trop les confidences.

N'empêche qu'il me manque. Je sais que je ne retrouverai jamais un ami comme lui. Justin est unique.

Mais je sais aussi qu'il n'y a pas deux personnes comme Brandi.

– Si des nouveaux débarquent à l'école, il faudra quand même tâcher d'être sympa avec eux, me dit-elle.

Elle a raison. C'est dur pour tout le monde… même pour les grandes personnes, si ça se trouve.

La mère de Justin était très amie avec la mienne. Elles sont peut-être tristes d'être séparées, elles aussi… Et quand mon père est parti, maman et lui ont cessé d'être les meilleurs amis du monde. Je me demande si maman a besoin d'un nouvel ami et si Max pourrait faire l'affaire. Mais j'aime mieux ne pas penser à ça maintenant.

Brandi a fini la dernière natte.

Est-ce que ça va marcher entre nous ?

Il faut laisser le temps au temps, comme on dit. Il ne suffit pas de faire claquer ses doigts et… hop !

Tout ça, c'est une question d'entraîne-ment. Alors je vais m'entraîner à devenir la meilleure amie de Brandi… Et j'ai bien l'intention de continuer à faire : « Ffft ! Ffft ! Flip ! » avec mes doigts jusqu'à ce que j'arrive à faire : « Clac ! Clac ! Clac ! »

Brandi me tend le miroir.

Je suis super avec mes nouvelles nattes !

– S'il y avait un concours de coiffeuse, tu serais la meilleure ! lui dis-je avec un grand sourire. Et maintenant, entraînement de rots ! Il faut absolument qu'on gagne cette sirène !

■ CHAPITRE 14 ■■■

J'appuie sur le nombril de la sirène et elle se met à faire des bruits bizarres.

Ça fait rire tout le monde. Je regarde ses longs cheveux jaunes, on pourrait peut-être lui faire des nattes avec des perles et des rubans, Brandi et moi ?

Je me demande ce que Gregory Gifford va faire de cette sirène complètement nulle. Car, finalement, c'est lui qui a remporté le concours. Il a réussi à faire quatre-vingt-douze rots à la suite ! Après, il a récité tout l'alphabet en rotant.

C'est vraiment lui le meilleur de l'école… pour ne pas dire le meilleur du monde entier.

Moi, je suis restée loin derrière. J'ai roté trente fois de suite… et puis j'ai eu le hoquet.

Dès qu'il a eu la sirène en main, Gregory a prétendu qu'elle était championne de karaté. Il lui a fait faire une démonstration devant ses copains. Ensuite, ils ont joué au football avec.

Si seulement c'était moi qui l'avais gagnée ! En rentrant à la maison, j'ai annoncé à ma mère que j'avais perdu mais ça n'a pas eu l'air de la bouleverser. Elle m'a simplement dit :

– J'espère que la mode des rots est maintenant terminée.

Alors je lui ai roté à la figure et on en est resté là. Jusqu'au moment où elle m'a tendu un paquet.

Je l'ouvre rapidement. La même sirène, exactement !

Je suis folle de joie.

Quand Brandi saura ça…

C'est chouette de pouvoir partager entre amies.

Je regarde ma mère en souriant de toutes mes dents.

– Merci m'man. Tu es la meilleure maman du monde !

– Lis le petit mot qui l'accompagne, me dit-elle doucement.

Je lis.

Ta maman m'a dit que tu mourais d'envie d'avoir une petite sirène comme ça… alors voilà : elle est pour toi. J'espère que tu t'entendras bien avec elle… et que tu t'entendras bien avec moi quand on fera connaissance.

Max

Je repose la sirène.

– Je n'en veux pas.

– Lili… me dit ma mère d'une petite voix triste.

Je déteste quand elle prend cette voix-là.
Je fais la grimace. J'ai du mal à comprendre
pourquoi Max me fait un cadeau.

— Pourquoi fait-il semblant d'être si gentil
avec moi ?

— Il ne fait pas semblant : il est gentil avec
tout le monde, voilà tout, me répond
maman. Si tu savais le mal qu'il s'est donné
pour dénicher cette poupée ! J'ai dû télé-
phoner à la mère de Gregory pour savoir la
marque. Ensuite, Max a appelé l'usine qui
les fabrique pour savoir où on pouvait les
acheter… Il a fait cinq magasins avant d'en
trouver une !

Je regarde la petite sirène bleue.

— De toute façon, je suis trop grande
pour jouer à la poupée, surtout avec une
poupée qui a l'air d'une meringue à la
chantilly !

— Liliiii !

Encore cette voix tristounette.

— Max voulait te faire plaisir, c'est
tout… Et me faire plaisir à moi aussi…

Pour que tout le monde soit content, tu comprends ? Il aimerait tellement te rencontrer !

Elle a l'air malheureuse. Vraiment très malheureuse. Parfois, les mères font semblant d'avoir de la peine pour pousser leurs enfants à faire ceci ou cela. Mais là, ce n'est pas de la comédie. Maman a vraiment de la peine, c'est clair.

Elle a sûrement besoin de nouveaux amis, elle aussi. Et Max en fait partie. J'ai l'impression qu'il s'accroche, celui-là.

Je regarde la sirène en pensant à Brandi. Elle va éclater de rire en la voyant, c'est sûr. Mais elle sera drôlement contente de la partager avec moi. Ce que je regrette, c'est de n'avoir pas gagné l'autre sirène au concours de rots.

Quant à celle-ci, j'aurais préféré que ce soit mon père qui me l'offre. Seulement voilà : il est à Paris et il ne pouvait pas se douter que j'avais terriblement envie de cette horreur bleue à cheveux jaunes.

Maman est toujours là, avec ses yeux tristes. Elle avait l'air tellement gaie, tout à l'heure, quand elle me racontait tout ce que Max avait fait pour dénicher la poupée de mes rêves. Alors je la prends dans mes mains (la sirène, pas ma mère) et je dis, mine de rien :

— Je vais écrire à Max pour le remercier.

Depuis que je suis née, maman me force à écrire des mots pour remercier les gens de leurs cadeaux alors que je ne connais rien de plus barbant.

— Tu pourras peut-être lui dire merci de vive voix un jour, me glisse doucement maman.

Je suis sur le point de lui rendre la sirène.

— Mais rien ne presse, ajoute-t-elle rapidement.

— Tu l'aimes beaucoup, ce Max, on dirait.

Je pose la question, certaine de vouloir connaître la réponse.

Ma mère hoche la tête.

– Tu sais, Lili, les choses changent mais la vie continue… Il faut savoir s'adapter, s'ouvrir aux autres, passer certains caps, se lancer dans d'autres directions… et essayer de ne garder que les meilleurs moments du passé.

Je veux bien essayer mais je ne suis pas sûre d'y arriver.

Il y a une autre question qui me brûle les lèvres… mais j'ai peur de la réponse.

– Dis m'man, est-ce que tu vas épouser Max ?

Elle prend une profonde respiration.

– Je ne sais pas, ma puce. Il est encore trop tôt pour le dire. Tout ce que je sais, c'est que je tiens beaucoup, beaucoup à lui.

Deux « beaucoup » à la suite : c'est du sérieux.

– Alors, tu veux bien le voir ? me demande-t-elle.

– Comment ça ? Tout de suite, là ?

– Non ! Quand tu te sentiras prête. A

condition que ça ne soit pas dans des années…

Elle parle très, très sérieusement.

Je hausse les épaules. Je regarde la sirène, je pense à papa… et je pousse un gros soupir.

– D'accord, mais laisse-moi tout de même le temps de me faire à cette idée.

Quand j'étais petite, je croyais que jamais rien ne changerait. En fait, je n'y pensais même pas. La vie était belle. Pas de soucis. Tout allait comme sur des roulettes.

Et puis tout a changé.

La vie est devenue un peu moins belle. Les soucis se sont mis à me pleuvoir dessus. Et les roulettes se sont coincées. Je n'aime pas ça mais je n'y peux rien. Impossible de revenir en arrière.

Des changements, j'en connaîtrai sûrement beaucoup d'autres, dans ma vie. C'est pareil pour tout le monde. En tout cas, pour tous les gens que je connais : moi, Justin, nos deux familles, et Brandi.

Je n'ai pas le choix : il faut que je m'habitue à ma nouvelle vie, à ma nouvelle classe, à ma nouvelle maîtresse… chaque année.

En avant, vaillante Lili !

Le monde t'attend !

Paula Danziger est née à Washington aux États-Unis en 1944. Avant de se consacrer à l'écriture elle fut professeur d'anglais, conseillère pédagogique puis animatrice d'une émission télévisée pour les enfants. Ses livres ont été traduits en plusieurs langues et récompensés par de nombreux prix littéraires. Paula Danziger adore voyager pour rencontrer des enfants du monde entier. Le personnage de Lili Graffiti lui a été inspiré par une conversation téléphonique avec sa nièce de sept ans, Carrie. Paula Danziger partage maintenant son temps entre les États-Unis et l'Angleterre.

Tony Ross est né à Londres en 1938. Après des études de dessin, il travaille dans la publicité puis devient professeur à l'école des beaux-arts de Manchester. En 1973, il publie ses premiers livres pour enfants. Sous des allures de rêveur fantaisiste et volontiers farceur, Tony Ross est un travailleur acharné : on lui doit des centaines d'albums, de couvertures, d'illustrations de romans. Capable de mettre son talent au service des textes des plus grands auteurs (Roald Dahl, Oscar Wilde), il est aussi le créateur d'albums inoubliables. Amateur de voile, il vit à la campagne dans une grande maison avec sa femme Zoé et une de leurs filles, Kate.

Voici, parmi les nombreux titres
de la collection Folio Cadet, une petite sélection variée :

LES GRANDS AUTEURS
POUR ADULTES ÉCRIVENT
POUR LES ENFANTS

BLAISE CENDRARS

ROALD DAHL

MICHEL DÉON

JEAN GIONO

MAX JACOB

J.M.G. LE CLÉZIO

JACQUES PRÉVERT

CLAUDE ROY

MICHEL TOURNIER

MARGUERITE YOURCENAR